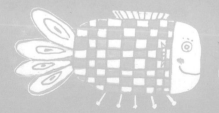

好餓好餓的魚

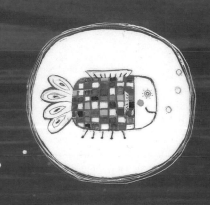

文‧圖／菅野由貴子　譯／朱燕翔

好餓好餓的魚，肚子咕咕叫。
牠看到一隻紅色的小魚。

開動咯！

大（ㄉㄚˋ）口（ㄎㄡˇ）一（一）張（ㄓㄤ）
真（ㄓㄣ）好（ㄏㄠˇ）吃（ㄔ）！
哇（ㄨㄚ）！ 背（ㄅㄟˋ）鰭（ㄑㄧˊ）和（ㄏㄜˊ）臉（ㄌㄧㄢˇ）頰（ㄐㄧㄚˊ）都（ㄉㄡ）變（ㄅㄧㄢˋ）成（ㄔㄥˊ）紅（ㄏㄨㄥˊ）色（ㄙㄜˋ）了（ㄌㄜ）。

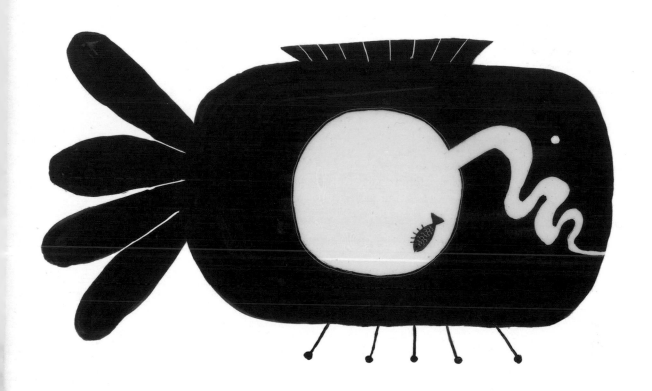

「我ㄨㄛˇ被ㄅㄟˋ吃ㄔ掉ㄉㄧㄠˋ了ㄌㄜ˙嗎ㄇㄚ˙？
我ㄨㄛˇ被ㄅㄟˋ大ㄉㄚˋ魚ㄩˊ吃ㄔ進ㄐㄧㄣˋ肚ㄉㄨˋ子ㄗ˙裡ㄌㄧˇ了ㄌㄜ˙嗎ㄇㄚ˙？」

6

好饿好饿的鱼，肚子咕咕叫。
牠看到一隻小螃蟹。

開動咯！

大口一張——
真好吃！
哇！前面長出了兩隻大剪刀。

8

「　這裡是哪裡？」
「　大魚的肚子裡。
小螃蟹也被吃進來了！」

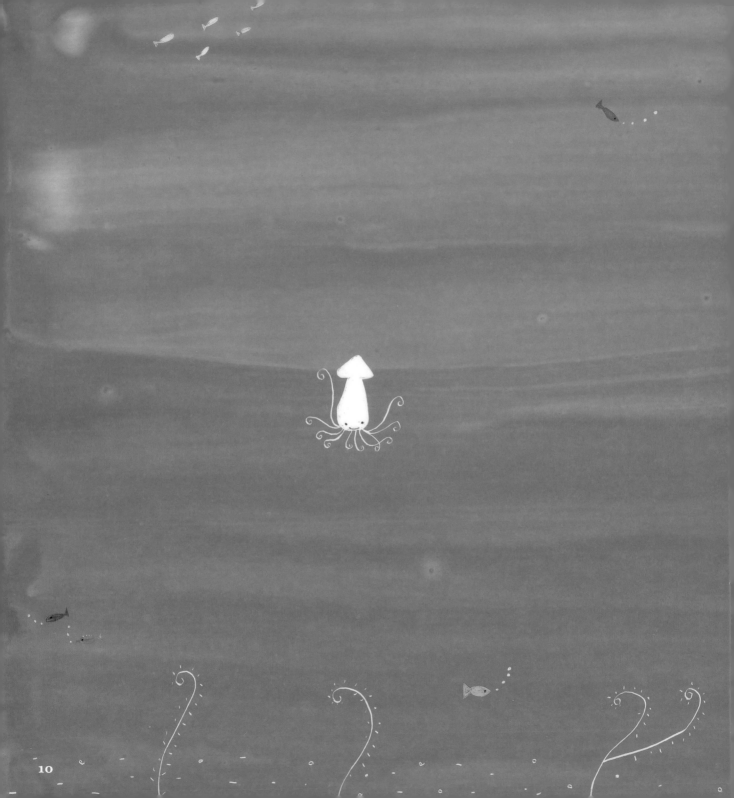

是ㄕ餓ㄜˋ得ㄉㄜˊ咕ㄍㄨ咕ㄍㄨ叫ㄐㄧㄠˋ。

是ㄕˋ。

大口吞下
真好吃
哇！

「　這裡是哪裡？」
「　大魚的肚子裡。
小烏賊也被吃進來了！」

好餓好餓的魚，肚子還是餓得咕咕叫。
牠看到一隻閃閃發光的魚。

開動咯！

大ㄉㄚˋ口ㄎㄡˇ一ㄧˋ張ㄓㄤ
真ㄓㄣ好ㄏㄠˇ吃ㄔ！
哇ㄨㄚ！全ㄑㄩㄢˊ身ㄕㄣ都ㄉㄡ閃ㄕㄢˇ閃ㄕㄢˇ發ㄈㄚ光ㄍㄨㄤ了ㄌㄜ。

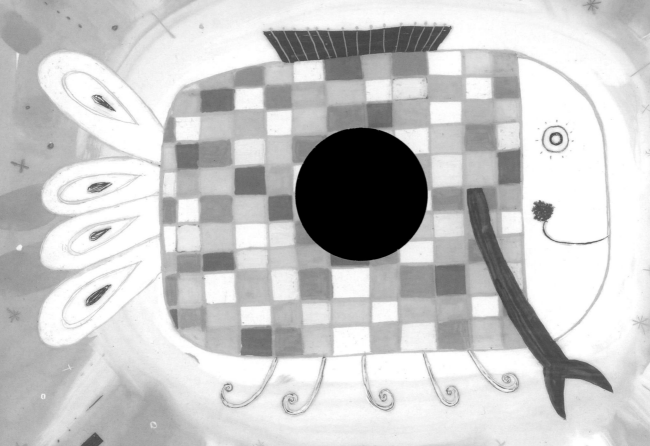

16

「現在是誰被吃了呢？」
「是閃閃發光的魚。」

「我們都被吃進牠的
肚子裡了，怎麼辦？」
「沒問題！
我們很快就可以出去了。」
閃閃發光的魚說。

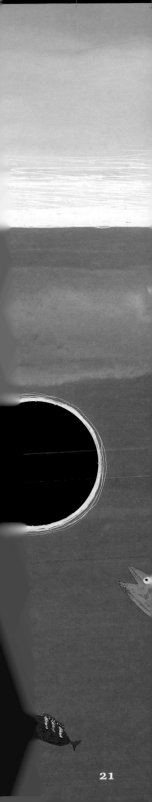

「我ㄨㄛ們ㄇㄣ都ㄉㄡ被ㄅㄟ吃ㄔ進ㄐㄧㄣ牠ㄊㄚ的ㄉㄜ
肚ㄉㄨ子ㄗ裡ㄌㄧ了ㄌㄜ， 怎ㄗㄣ麼ㄇㄜ辦ㄅㄢ？」
「 沒ㄇㄟ問ㄨㄣ題ㄊㄧ！
我ㄨㄛ們ㄇㄣ很ㄏㄣ快ㄎㄨㄞ就ㄐㄧㄡ可ㄎㄜ以ㄧ出ㄔㄨ去ㄑㄩ了ㄌㄜ。」
閃ㄕㄢ閃ㄕㄢ發ㄈㄚ光ㄍㄨㄤ的ㄉㄜ魚ㄩ說ㄕㄨㄛ。

啊ㄚ， 好ㄏㄠˇ舒ㄕㄨ服ㄈㄨˊ！

大ㄉㄚˋ家ㄐㄧㄚ都ㄉㄡ輕ㄑㄧㄥ鬆ㄙㄨㄥ的ㄉㄜ在ㄗㄞˋ海ㄏㄞˇ裡ㄌㄧˇ游ㄧㄡˊ來ㄌㄞˊ游ㄧㄡˊ去ㄑㄩˋ。
好ㄏㄠˇ餓ㄜˋ好ㄏㄠˇ餓ㄜˋ的ㄉㄜ魚ㄩˊ也ㄧㄝˇ好ㄏㄠˇ輕ㄑㄧㄥ鬆ㄙㄨㄥ、 好ㄏㄠˇ輕ㄑㄧㄥ鬆ㄙㄨㄥ。

好ㄏㄠˇ餓ㄜˋ好ㄏㄠˇ餓ㄜˋ的ㄉㄜ魚ㄩˊ，
肚ㄉㄨˋ子ㄗˇ又ㄧㄡˋ開ㄎㄞ始ㄕˇ餓ㄜˋ得ㄉㄜ咕ㄍㄨ咕ㄍㄨ叫ㄐㄧㄠˋ了ㄉㄜ。

作‧繪者 菅野由貴子 かんの ゆきこ

生於日本神奈川縣。1995年畢業於敬和學園大學。繪本作品有《曾曾祖父106歲》、《變身貓》、《大貓哩嘍嚕在海邊》、《大眼睛》、《昆蟲音樂會》、《白熊寶寶的洞穴是什麼樣？》等。讀本的插畫作品有《雪之林》、《換心店》等。

譯者 朱燕翔

資深編輯。熱愛音樂、藝術、閱讀和編輯工作。英、日語譯作有《莫札特和古典時期》、《中年學音樂》、《米勒名畫150選》、《雷諾瓦》、《達文西》、《拉斐爾》、《杜勒》、《牟侯》、《叩、叩、叩》、《分享傘》、《失敗了也沒關係》、《修馬路！小心喔》、《大家來蓋房子！》、《挖土機，出發！》、《搭客運去海邊》、《我的爸爸是消防隊員》、《我的爸爸是麵包師傅》和《我的爸爸是電車司機》等。

好餓好餓的魚

文‧圖／菅野由貴子‧譯者／朱燕翔‧發行人／黃長發‧副總經理／陳鳳鳴‧副總編輯／呂淑敏‧主編／吳伯玲‧美術編輯／郭憶竹‧出版者／台灣東方出版社股份有限公司‧地址／臺北市大同區承德路二段 81 號 12 樓之 2‧登記證／局版臺業字第 0840 號‧電話／（02）2558-1117‧傳真／（02）2558-2229‧郵撥帳號／0000002-6‧印刷／久裕印刷事業股份有限公司‧初版／2015 年 01 月‧五刷／2022 年 05 月‧定價／280 元

iSBN：978-986-338-055-9

PEKOPEKO ZAKANA

◎請尊重智慧財產權／裝訂錯誤或缺頁、破損請寄回更換　　　東方出版社網址 www.1945.com.tw